강경옥
걸작선

별빛속에

8

별빛속에

SENTIMENTAL FANTASY

SENTIMENTAL FANTASY

그런 말은
하지 말아줘…

…나는 언제나
별을 보면
안정이 됐지…

무슨 일이
생길 때마다
별을 보면서
마음의 안정을
찾고 있었어.

그것은
지구에 있을 때의
일이지만…

아버지와 함께
언덕에서
보고 있던 별은…

이렇게
많이 보이지는
않았지만

아름답고 신비롭게
느껴졌었다.

······

무례를… 용서를…

···물러가겠
습니다.

···사랑해···

···으응···
이 말밖에는
아무것도 떠오르지 않아···
아무것도···

너도 시이라젠느를
사랑한다는 얘기구나…

레디온…

아직도
발견하지
못했단
말이냐?

그렇습니다.
숙소며 여기저기를
찾았지만
없었습니다.

혹시… 카피온으로
귀환을 시도한 것은
아닐까요?

우리의 경비망이
그렇게 허술하단
말인가?

예상 밖의 일은
언제든지
일어날 수 있어.
하나하나에 놀라서야
전쟁을 할 수 있나.

최근 과격파의
움직임은 어떻지?
요새는 또
보고가 없는데.

옛, 전쟁 탓인지
그다지 큰 움직임은
없었습니다.

모두들 군부 쪽이니까
전투에 전력할 뿐입니다.

다녀오십시오.

옛―
에라스톤 왕.

브란 뒤를
잘 살피도록.

사소한 움직임까지
빼놓아서는 안 되고

조금이라도
이상하거나 다른 것이
보이면 보고하도록.

옛—

브란은 쉽게 나를
배반할 자는 아니지만,
조심해둬서
나쁠 것은 없겠지.

…역시 피레의 실종은
레시나나 라만의 짓일
가능성이 커.

그렇다고 라만에게
피레를 내놓으라
할 수는 없는 일.

그러나
약간의 배려일
뿐이다,
피레…

너의 마음을
아는 데 대한.

이 이상은 없어…

설사 내가
너를 싫어하지
않는다 해도…

이것이
현실이니까…

우주에는
공기가 없으니까
머무르는 것은
아주 짧아.
그것에 주의하고.

그리고
몸의 분자가
분해되는 느낌이
있다는 것도
알아두도록.

가능하다고
생각하는 것인가,
아시알르는?

설사
가능하다 해도
굳이 2계급을
쓸 필요는 없잖아.

레디온이
카라디온에 대한
지식이 있으니
유리할 거라
생각하는 거 같아.

안 된다고 생각될 때는
곧 돌아오도록 하고.

위치는 바로 우주선 위,
스크린이 비치는 곳이다.

이곳에서
볼 수 있도록.

시작해줘.

자, 모두 발 아래
스크린을 봐주세요.

싹

해냈어─

시이라젠느 밑 스크린이야.

모선 머리 부분에 서 있어.

호음...
해내고 말았군.

얼마를 버틸 거지?

올려다보는군. 스크린이라는 것을 아는가?

...이것은...

평소의 레디온으로 따진다면 대단한 일이야...

이렇게...

돌아왔다.

아!

이런 느낌이었던가…
내가 그렇게도
없애길 원했던
차이의 느낌이…

성공이야, 레디온.
이제 팀에 합류하는 거야.

모두들
이의는 없지요?

나도 끼워줄 수는
없나요, 아시알르?

유감스럽게도
당신의 성역 행보 날짜와
우리의 결행일이 같아요.

…성공을
빌어요.

둘 다 날짜를
바꿀 수는
없는 일입니다.

당신도
시이라젠느…

그런데
아르만은
이번 일에도
빠졌지.

아아.
기레스 님 충격이
오래 가나봐.

거기다
시이라젠느
문제까지.

그러나
여왕 혈통의
정통성 문제는
없으니까.

그렇다 해도
이런 일은
전례 없는…

쉿—

아르만을 만나지
않을 건가요,
시이라?

라이스타…

만나서…
뭐라 해야 되지요?

나는…
그의
아버지를…

그는 그것을
원망하진 않을 거요.   상황이
　　　　　　　그럴 수밖에
없었다고 하더군.

오히려…
그대가 가질
죄의식을 걱정하고
있었소.

…아르…만을 만나면…

전해주겠어요?

아주… 아주

좋아하고 있다고…

…미안하다는 말보다 낫군요.

불행하게도…

아르만은 이 이상의 말을 들을 수가 없는 거로군.

…그렇다면 혹시 그녀에게 누군가 있다는 것인가?

하지만… 도대체 누가…

피곤할 테니 들어가시오.
내일은 결행일 아니오?

…그것이…
다는 아니더라도…

언제나 마음 한구석에는
여왕이 되면
'당신과 함께'라는
생각을 했었지요.

설사 여왕이
못 된다 해도
포기할 수 없는
생각이었고요.

지금에 와서도…

갈아입지 않으십니까, 시이라젠느 님?

이제 곧 의식이 시작될 텐데요.

…혼자 있고 싶으니 물러가줘…

시이라젠느 님,
그 옷은…

이것도 새 옷이야.
입던 것을 입고 갈 수는
없으니까.

아니요,
의식 때는…

그 옷은 나에게
어울리지 않아.

…그래…
카피온의 왕녀의
카피온의 여왕이 될 사람의…

태연히 그 옷을 입을 수는 없다…

난…
나 자신이
하려는 일이
뭔지를 알고
있으니까.

무엇을 슬퍼하고
계시는 거지요?

내가… 카피온을
사랑하지 않는다는
사실이…

레디온이
사랑하고 있는
이 카피온을
사랑하지
않는다는 게
슬퍼.

슬퍼하는
것만큼은…

사랑하신다는
얘기군요…

…맞아…

그래서일지도 모르지…

무엇이
어떻게 되든…

그 어느 순간에도
저는 언제나
당신과 함께입니다.

제가 드릴 수 있는 말은
이런 것뿐…

다만…

다만…

한 마디만…
더…

몇 번이나
되삼키게 되는…

그 한 마디만…

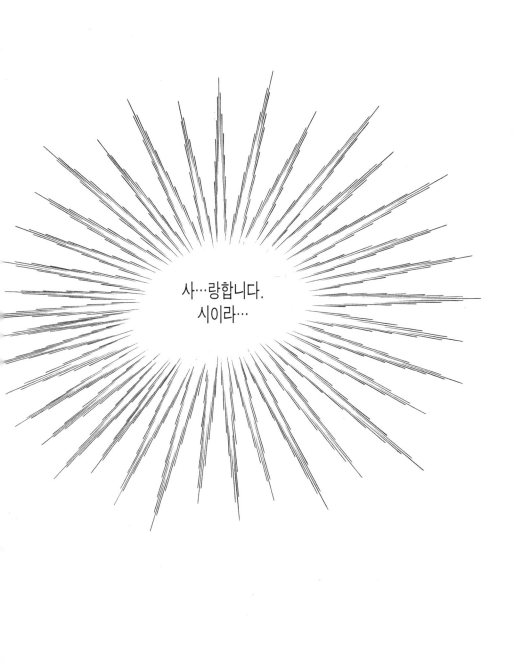

성역이 당신을
통과시켜주었다…

…는 것은

신은 내게
한 가지를
주셨다고 생각해…

그것을 믿어
의심치 않게…

이것이 운명이라고
한다 해도

이것이
신이 정해버린
일이라고 해도
나는…

내 의사로 이 느낌을
포기할 수 없어…

그래.
이것이 인간으로서의
나의 감정이야.

상황 하나하나에
신을 끌어들일 수밖에
없는 것은
인간의 나약함에
의한 것임을
깨닫는 것도…

아주 순간의 생각이
그 결론을 내주게 한다.

왜 인간은
인간 스스로를
약하게 보아야 하는가…

만약 나의 의식을
지배하는 힘이 존재한다면

그 힘은 스스로
완전하고 싶어 하는…
신이 되고 싶어 하는,

인간을
방해하기 위한 것인지,
돕기 위한 것인지
알 수 없지만

나는 생각을 느껴가고 있어…

나에게 중요한 것은 그것이야…

그래서 나는
계속 나의 생에 대해
의문을 갖고 사는 것이다…

무사히 다녀오기를…

…어머님께서도
무사하시기를…

여러분의 과업도
무사히 성취되길
바랍니다…

그리고
레디온 당신도…

아주…
아주 어릴 때부터
나를 부르고 있던
이 성역…

그동안 몇 번이나
이곳에 왔음에도…

나는 지금에서야
성역의 부름에
응답하는 것 같다.

2함대 공격에 카피온은 과연 어떤 태도로 나올까요?

어떤 태도를 기대하기엔 아직 멀었어.

그들은 이 정도 가지고는 협상의 얘기조차 나오지 않을 것이다.

어차피 장기전은 각오된 바 아닌가?

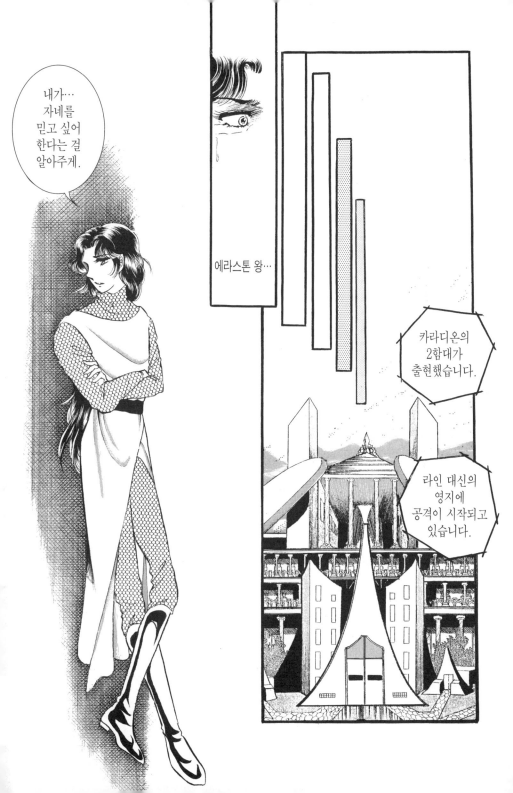

좋아요,
시기가 잘 맞았군요.

워프에
들어가겠어요.

준비들
해주세요.

출발!

아… 아시알르의
파격적인 의상은… 아…ㅇㅇ
뭔가가 …

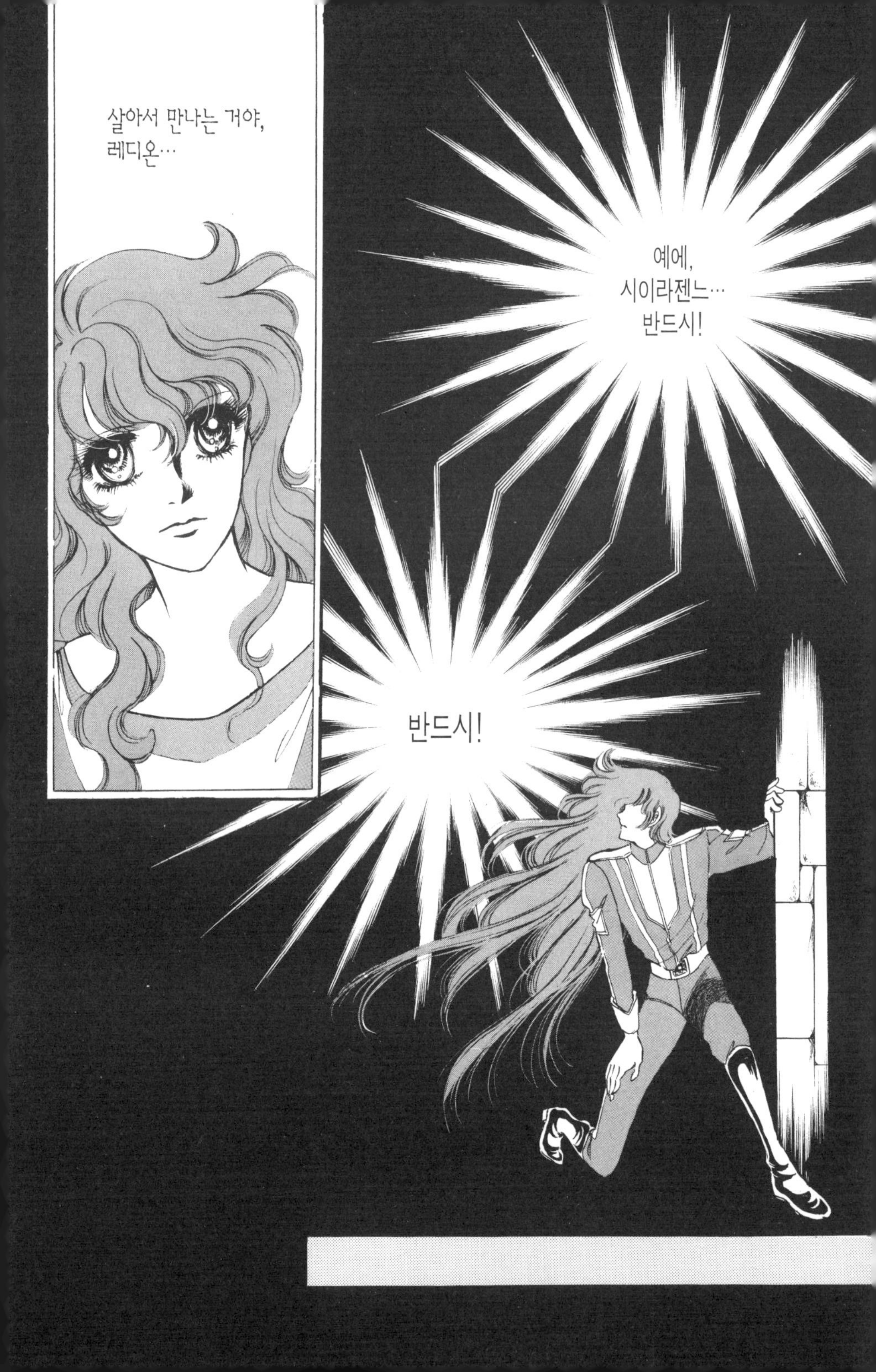
살아서 만나는 거야,
레디온…
예에,
시이라젠느…
반드시!
반드시!

가도 가도 끝이 없는
안개 사막을 걷는 것 같다.

언제까지 이렇게
걸어야만 하는가…

나는…
신을 만난다면
무엇을 말하려는 것이지?

무얼 묻고 싶은 거지?

그래…
카피온의 운명 나의 운명,
그런 거였지…

그걸 안다면 나는
지금 나의 생각을
바꿀 수 있을까?

만약에 신이
그의 목소리로 내게
그들을 지구로
인도하라 한다면
나는…

나는…

웬일인지
이런 때…

아주 옛날 일부터
그립게 떠오른다.

그래…
아버지와 함께
오른 언덕.
별이 가득한 밤…
별자리 이야기.

그 때의 여름도,
봄도, 가을도…

지나간 신혜라는
아이의 나날이…

그리운 사람들이…

사라와 동현과…

잊히지 않을 사람들이…

마음으로 파고든다…

단순히 파괴전만으로는
큰 충격이 못 돼.

좀.더 큰 에너지원을
찾아내지 않으면 안 되는데.

그러나 투시에도
한계가 있다.
카라디온이 하나의
도시인 것도 아니고…

게다가 왕족들은
과학적 지식이
그다지 없다는 것이
제일 곤란해…

생각했던 것보다 더
정말로 카라디온은
기계들로 뭉쳐진
하나의 국가이다.

그러나
1차 공격에서
무언가
보이지 않으면…

아?

으윽—

또 2대의 이동 송출 카메라가 부서졌습니다.

이래가지고는 상황을 알기가 힘든데요.

에라스톤 왕!

어떤 대책이 있어야 하지 않습니까?

소형 우주선을 띄워라. 초능력 감지 장치가 딸린.

우리 측 희생자가 나도 할 수 없다. 집중 공격이다.

하지만 에너지원 근처는 조심하라고 지시하도록.

옛! 걱정 마십시오. 장로들도 사정을 이해할 것입니다.

인간들의 전쟁인 이상, 언제나 목숨이 담보가 된다는 거야 모르는 게 아닌데…

언제나 쉽게 이루어지면서 어려운 것이 이 문제다.

아니야…
아직 무언가
가동되는 소리가
들린다.

좀 더 자세히…

빌어먹을 카피온놈들.
겨우 10명 정도로
공격이라니.

이 카라디온을 뭘로
보는 수작인지.

그러나
역시 위험해.

만약 이 구역에
큰 충격을 주면
어찌 되는지
알지 않나.

그러니 이런 것도 기회 아닙니까?

이제 당당하게 사만 작전을 알리고 그것을 이용할 수 있을 텐데요.

그들이 감히 손을 댈 수가 없게 말입니다.

점검을 계속해.

그것의 규모를 본다면 몇 번을 점검해도 만족스럽지 않지만

이것은 무슨 소리?

역시 제어 기능이 불완전하단 말이야.

약간의 시간이 더 필요한데… 조금 빨랐어.

……

하지만 아르만 당신은 막무가내로 폭파하는 것을 좀 자제해야겠어요.

이건 내가 처리하겠어. 넌 다른 곳이나 아시알르에게 투시해줘.

욱—

새겨두지.

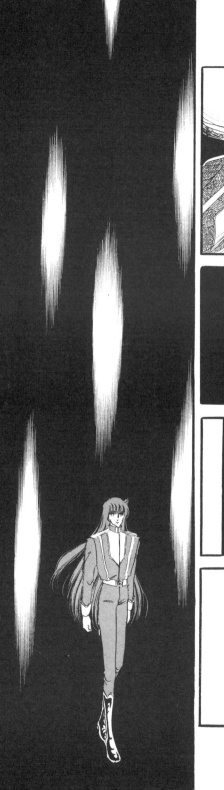

꽤 깊은 지하다.
이곳은 에너지원과
연결된 것인가?

사만 작전이라는
그들의 말은 도대체…

이곳은?

피레!

으윽!

아...

찰
싹
싹
싹

피레…

피레…

나는 내 의사로
카라디온에
머무는 거예요,
레디온.

내 의사로…

이것이
너의 선택의 결과냐,
피레…

잘 지낸다고 생각했다.

마음속으로 안심하고
있었는데…

나는 나의 것이어요…
그러니까 나는 내 결정을 믿어요.

하지만 레디온은
도대체 누구의 것이죠?

카피온?
아시알르 님?

언제나…

레디온이
걱정이에요…

그렇지 않아,
피레…

카피온의 것도
아시알르 님의 것도
그 누구의 것도
아니야…

시이라젠느를
느꼈다…

…그래서…
태어나면서부터
가지고 자란
이 세상의 그 모든
구속감으로부터
해방되며…

또 하나의
구속감을 가지게
되었지만…

이것은
구속감이 아니야,
피레…

스스로

스스로…

스스로

원하는 것이다.

도저히 포기할 수
없는 원하는 것을…
찾은 거야, 피레…

…만약에 살아 있는 데
이유가 필요하다면

나는 내가
살아가는 이유를
찾은 거야,
피레…

정말이다…

그러니 안심하고 가거라…

안심하고서…

정말이에요,
레디온?

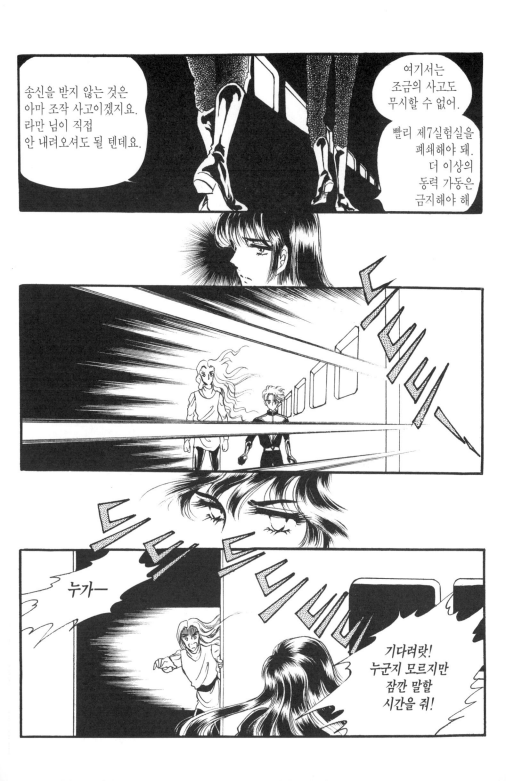

좋아,
헤인 레디온…
맞지?

동생의 죽음으로
흥분한 상태인가 본데
지금은 자중하는 것이
좋을 거야.

좋아,
말로 설명하는 것보다야
직접 보여주는 게
더 확실하겠지.

방금 내가 한 말이
절대 거짓은 아니니까.
이곳에 어떤 영향을
주느냐에 따라 위험
지수가 달라진다.

따라와―

그 전에…

현재 에라스톤 왕이
있는 곳을 알려줘.

현재 이곳은
소형 우주선
출격으로
공격이
약해진 감이
보이지만

……

12

12.024

12.002

잠시일
뿐이라고
생각됩니다.

120

120

하지만
그들의 힘에도
한계가 있으니까
어떤 계획이
또 이루어지리라
생각됩니다.

우리는 그 사이에
어떤 조치를 취하지
않으면 안 됩니다.

후진이 오는 것일 테지…
카피온으로 돌아갈
방법이 없으니까.

그러나…

피레—

그가 너의 시신을
어떻게 처리할진
알 수 없어도…

네가 그의 손에 있길
원한다는 것은 알고 있어.

피레…

가지―

이편이 너에게
기쁘리라 믿는다…

그래… 나 역시…

…나 역시…

하하― 에라스톤이
무척 놀라겠는걸,
어디로 떨어졌는지야
모르지만

갑자기 시체가
뚝 떨어졌을
테니.

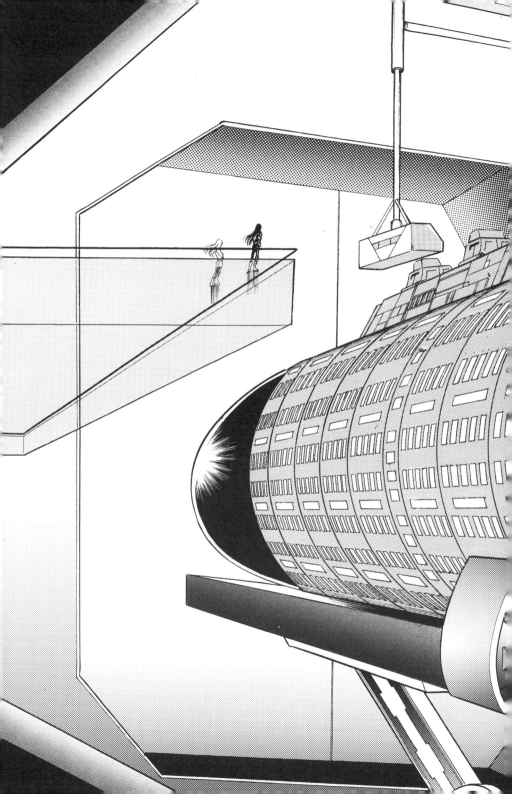

…이것은…

밖에서 날뛰고 있는
너의 카피온 상전들에게
알려라.

이것이 폭발하면
카라디온 하나만
망가지는 것이 아니야.

행성의 반은
날려 보낼 수 있는
폭발력이지.

미친 짓이다…
너희는 자멸을
원하는가?

서로의 자멸을
원하지 않으면
카피온이 물러나면 돼!

우리는 우리를
지킬 뿐이야.

어차피 카피온을
소유하지 못할 바엔
없애는 게 속이 덜 쓰리지.
언제까지 분쟁거리를
남겨두진 않겠어.

그렇게 쉽게
날 죽이진 못할걸?

이 거대한
사만 작전의
실질적 주도자가
나인 이상 이걸
없애고자 해도
내가 없으면
안 돼.

파괴를 목적으로
만든 것이 아닌가?

카피온이
요구를 안 들어준다면
서로의 행성을 파괴해 함께
죽자는 것인가?

우리에겐
나안 행성이 있어.

너희들은
이제 시도에 불과한
행성 개발이지만,

우리의 과학력은 어느 정도
나안 행성에 기반을 굳혔지.
식량 생산 기지라 해도.

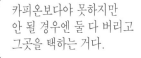

카피온보다야 못하지만
안 될 경우엔 둘 다 버리고
그곳을 택하는 거다.

카라디온의 국민들도
모두 찬성했단 말이지.
에라스톤 왕도,
장로들도, 컴퓨터도…

모두가
언젠가는 일어날
일이라면
그것은

내 눈앞에서
일어나야 해!

나도
나의 세대에서
카피온에
살고 싶은 거다.

이런 설명을
너 따위에게
하다니…

자아―
가서 이 사실을 전해!
지금 침입을 철수하는 게
좋을 거다.

절대로…

그렇게 쉽게
되지는
않을 거야.

사만호에
신경 쓸 거 없다,
공격해라.

탁

!

뭐 하는
거냐,
공격
하라는데.

그…
그러나

당장
공격해.

안전은
내가
보장한다.

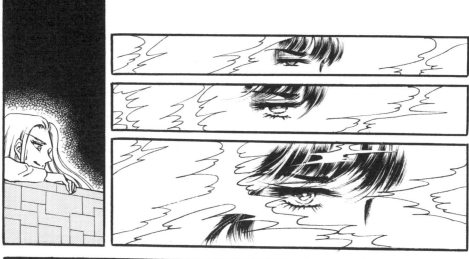

훅!

레…

가…

네…
…가…

레디온···

…제가 죽었습니다.

하지만 처벌을
하실 거라면

초능력으로
하셔야 할 것입니다.

…죽인 이유를
말해봐.

……

…죽을 수가
없기 때문
입니다.

……

그래… 나도
절대로 너를
죽게 하진
않겠다.

…이것,
조종실로 움직여.

반응을
한 건가?

그렇습니다.
모든 것이
발사 상태로
교체되었
습니다.

어떡하지요?
지금
발사했다가
충격으로
여기에서
터진다면.

지금 터지지
않은 것은
저 초능력자의
배리어 덕분인 것
같습니다.

전면
프로그램을
화면에
송출해!

…카피온의
왕족들에게…

지금 막
서로 협력해야만
할 일이 생겼소.
당신들이 방금
사만호에게
가한 충격으로
완전히 발사 상태에
들어갔소.

무게 반응으로 설치한
발사대이기 때문에
당신들이 사만호를 지탱하고
배리어를 계속 쳐준다면
같은 반응의 발사대를
만들 수 있소.
그렇지 않으면
그대로 터지는 거요.

이것은 절대
우리만을 위한 것이 아님을
알아두는 게 좋을 거요.
폭발 시엔 카피온도
함께 날아가는 거니까.

이놈들이…

......

신?!

…신이신가요?

지금 제게
느껴져오는
이것은…
무엇입니까…

이 암흑은…

이곳…이…

블랙…홀?

......

한 가지만이라도
대답해주세요,
신이여…

당신은
지구에서도
같은 신이신가요?

그렇다면 어째서…
지구와 카피온은
연결되어
있는 겁니까?

카피온의 약속의 날과
지구의 약속의 날은
공통점이 있는 겁니까?

저에게…
지구의 미래를
보여준 것은…
지구의 통로를
보여준 것은
지구와 연결된
무언가를 알려
주시려 한 것이
아니십니까?

당신이 보여주신 지구도
멸망의 길을 가고 있고,
카피온도 그렇다면
그 약속의 날이란
똑같은 길을 걸어간
두 행성에게 어떤 기회를
주려 하신 것은 아니십니까?

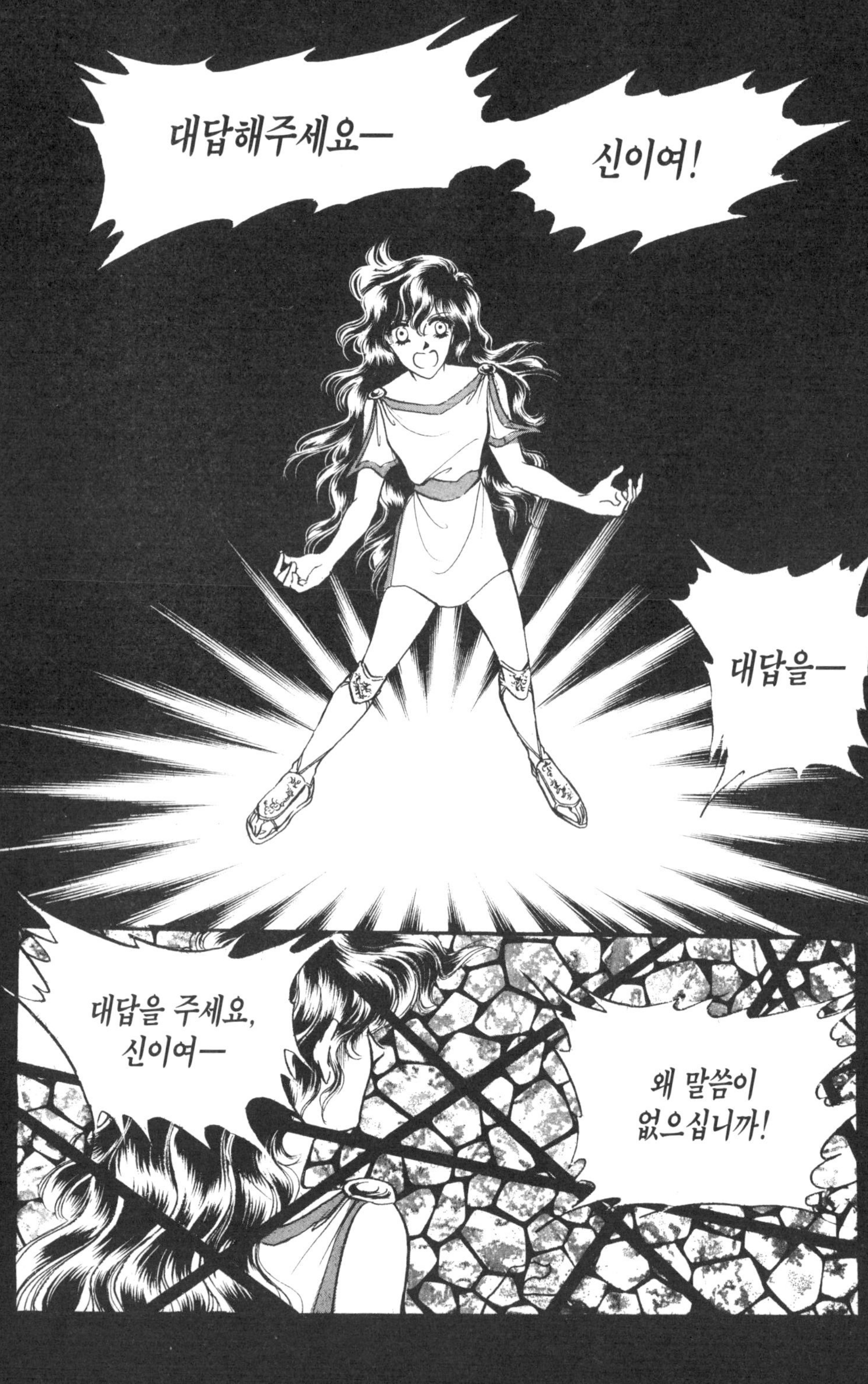
대답해주세요—
신이여!
대답을—
대답을 주세요, 신이여—
왜 말씀이 없으십니까!

말씀을—

인간은
소리치고

신이여—

신은
얘기하고…

......

인간은
절규하고…

—

......

신은
속삭이고…

신이시여…
신이시여
듣고 계신 겁니까?

신이시여
거기에 계십니까?

신이시여
대답해주세요…

의문의 바다에
빠져 있는 인간에게
신은 어떤 존재이십니까?

존재의 무서움 속에
살고 있는 인간을
불쌍히 여기시어…

여기시어…

아시알르…

저런 큰 배리어는…

카라디온도 지금 우리의 힘이 떨어진다고 공격할 입장은 아닐 테고…

2계급보다 힘이 못하다고들 하신다면

몇 사람이 같이 하면 조금은 쉽게 지탱할 수 있을 겁니다.

카피온에 연락을 해서 모든 초능력자를 오게 했으니 그때까지만 버텨주세요.

도움을 받게 되었군요, 아시알르 님.

이해를… 아시알르 님 이것은 나도 모르게 진행된 일이었소.

144

그 방법이
가장 최선이지.

더 이상의 것은?

없소…
지금으로선…

아무것도?

아무것도…

149

틀리지 않는
이야기예요.

에라스톤!

이 일은
장로회의 심판을
받은 뒤에
할 일이다.

아무리 방법이
없다 해도
내가 없이
사만호를
처리할 수
있다고 보나?

에라스톤—

끼
이
익

원하신다면
집행 화면을
보여드리지요.

당연한 처벌이 약속의
담보가 되진 않겠지만
의도는 충분히 받았습니다.

됐습니다.

우리도 이 일엔
적극 협력할 수밖에
없지요.

일단
성립이군요.

상황을 보러
갈까요?

…확실히
시이라젠느하고는
다르군…

암흑의 느낌이 사라졌다···
이곳은 이제
블랙홀이 아니야.

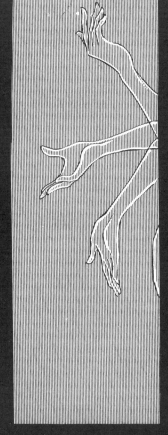

아무것도
보이지 않지만
다시 성역으로
돌아온 거다.

결국
신에게 가진 불만과 고통,
모든 불합리한 감정에 의해 갖게 되는
신의 존재에 대한 의문과 증오는…

신 앞에서는
아무런 위치도 갖지 못하고
그저 자신의 안에 들어있기만
할 뿐인가…

나는…

나는 한정된 시간을 살아가는 인간일 뿐…

그 시간으로는
아무것도 얻지 못하고서
사라져가는…

아니면 혹시
영혼이 계속,
계속 시간 속을 흐르며
어디론가 향하고 있는 것인가…

그래도 신은
아무것도 대답해주지 않고,
아무것도 보여주지 않고
단지 이 시간을 넘기는 것을
지켜보기만 하고…

인간은…
계속 시간과 함께
순간을 기다리며…

기다리며…
언젠가…
언젠가는…

'언젠가는'을 믿고서…

그리하여
다시 한번…

세상을 신의 뜻대로

혹은 나의 뜻대로…

살아가는 것이다.

그래…

손가락 하나하나의
움직임이 느껴지듯…

하나하나의 선택이
수만 가지의 길로
통하고 있다…

아무런 대답도
해주지 않는 신이지만…

그렇게 해서
내가 만들어낸 현실이

신의 아량으로 되었건,
내 자신의 능력으로 되었건

그래도 현실은
변하지 않고 존재하고…

나는 계속 선택해야 하고…

그런 반복의 반복을 겪으며
결국 포기하지 못하는
것일 뿐이다…

언제나,
언제나 단지 그것뿐…

언제나…
…기다리며…

이… 시간에 나의 길을 갈 뿐이다…

신의 뜻대로…
혹은 나의 뜻대로…

아직껏
교대하지
않았나요?

아시알르…
현재 레디온의 힘은
우리의 상상 이상이오.

측정 결과 저 정도의
배리어를 유지하려면
왕족 20인의 힘이
필요합니다.

저 몸체만이 아닌
구조와 기능 하나하나까지
마비시킬 배리어가
필요한 거요.

현재 아르만과 라이스타가
카피온으로 직접 갔기 때문에,
그들과 지원 부대가 오기도 전에
우리끼리 시작했다가
한 사람이라도 힘이 약해지면
위험해요.

레디온의 힘이
그 정도라고요?

지금의 에너지 출력은
아마 왕족의 30배는
족히 되는 것 같습니다.

162

그러나 그의 초능력 검사 때엔 불과 왕족과 맞먹는 정도였지요.

끼이잉

일부러 힘을 줄인 것일 겁니다.

아무래도 위험 요소가 되리란 걸 알았을 테니.

아니요…

그도 모르고 있었던 것뿐일 겁니다.

언제나 억제의 방법만 배워왔으니까요.

우리가 시키고서야 우주 텔레포테이션 시험에 응한 것처럼. 하지만 지금 이 힘은 자신에게도 살인적일 거예요.

이 상황이… 그리고 시이라젠느가 저렇게 힘을 발휘할 수 있게 만든 거겠지.

163

아르만!

왔군!

카피온에서 온
지원 부대는
밖에서

아시알르,
당신의 통솔을
기다리고 있소.

레디온—
지금부터 우리가
배리어를 칠 테니
타이밍을 잘 맞추어
해제해라.

…3

2.

1.

여왕께서는 그대에게
전권을 위임하셨소.

하지만
보충 인원이 왔으니까
지금은 레디온을
쉬게 하는 게
급선무 같군.

준비—

164

레디온!

몸의 기능이
정지했다고?

가사 상태에 들어간 것
때문 아닌가?

그것이 아닙니다.
가사 상태와 달라요.
신경 조직이며
신체 조직이
완전 중지된 상태,
간단히 말해
죽은 상태와
같은 겁니다.

현재 곳곳에서
출혈이
계속되는 것도
그 이유입니다.

확실히 가사 상태를
스스로 유지할 만한 초능력이
남아 있다고는 보이지 않아요.
투약도 소용없습니다.

힘을 100%로
사용할 수 있다는 것은
어쩌면 불가능에 가까운데

지금 이것은
그런 상태로밖에는
보이지 않습니다.

단지 간격을 두고
뇌파가 조금이라도
반응한다는 게
이상할 뿐입니다.

167

사만호를
비춰줘요!

…그 정도의
초능력이 필요한
배리어라면

우리 왕족들이
저것을 막는 데도
한계가 있습니다.

…표정을 보세요.

교대 시간을
빠르게 해야겠어요.

레디온 혼자서 버틴 것은
11시간인데
저들은 20명으로도
2시간 만에 얼굴빛이
파랗게 되었어요.

그 말 그대로요,
아시알르 님.

이제 방법은
한 가지.

중도 폭발 위험을
안고서…

사만호의 발사를
진행할 수밖에 없소.

……

……

…님…

레디온?
지금
텔레파시를
보낸 것은?

아시알르 님, 그것은
원거리 우주 텔레포트.
그곳에 힘을 사용할
여유가 있을까요?

지금
사만호가 저렇게
버티고 있고
왕족들은 힘이
빠져 가는데.

…어차피…

발사하기로
정하지 않았습니까?

그 시간까지의
힘이라면
아직은 왕족에게도
충분합니다.

내 힘을 합해
저것을 완전히
처리할 수만 있다면…

왕녀인 나로서는
이런 일은
하지 못합니다.

…평온한 얼굴이다.
레디온…

하지만 마치 해방되는 것 같은
얼굴은 하지 말아줘…

레디온… 난 당신도 좋아한다.

…그래, 이대로
영원히 떠나보낸다는
느낌이 들어
슬플 정도로…

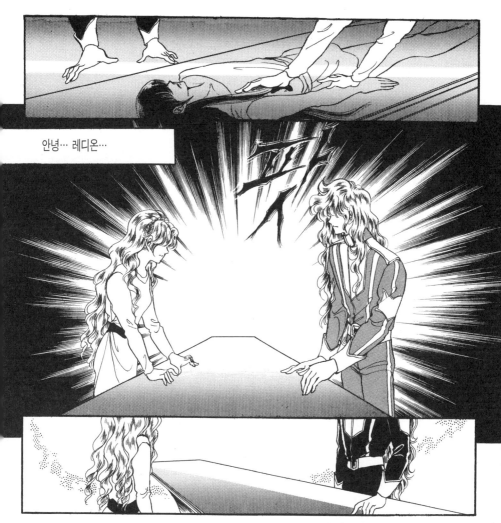

안녕… 레디온…

어디로
갔을까요?

레디온이
가고 싶은
곳…

우리는 어딘지
알 수 없지만

아마도
시이라젠느가 있는
곳이겠지.

레디온만
떠나보내는 것이
아니고…

이대로 카피온이
끝난다면 시이라젠느는
카피온의 마지막 여왕이
되는 거군요.

우리들도…

신의 뜻으로…

적어도 그때는
함께 있겠소…

처벌해주십시오.

저도 사만 계획에
참여했습니다.

에라스톤
왕...

아무 말도
안 들은 걸로
하겠다.

카라디온에는
신이 없는 만치...

믿어야 할 인간이
필요해...

아주 먼 곳에서부터
내가 걸어오는 것 같다…

내 삶이 지나간다…
어두움을 지나는 가운데
언뜻언뜻 비치는 빛이
내가 살아 있음을
증명해준다…

나의 과거도, 나의 미래도
모든 것이 백지화되어버리고
이 공간을 지나가는
나의 모든 것은…

시이라젠느에게로
향하고 있다…

시이라젠느에게로…

레…

디온?

레디온…

레디온?

부…탁…입니다…

…더… 이상…

아파…하지
말아…주세요…

아니면
여…기까지 온…
이유가…

살려주세요.

살려주세요, 신이시여.

살려주세요.

살려주세요!

부탁입니다…
더 이상 아파하지
말아주세요.

아니면
여기까지 온 이유가
없습니다…

사랑하고 있습니다.
나의 시이라젠느…

발사 준비.

2단계
성공.

목표
12행성
가인.

발사, 앞으로
5시간 후.

우주정으로
탈출하려는
카라디온인들을
자제시켜라.

사만호 발사 과정에
문제가 있어서는
안 돼.

장로들과
기타 선발 요원은
나안 행성으로
이미 대피
시켰습니다.

에라스톤 왕,
당신께서도
준비하셔야죠.

자넨 내가 나안 행성으로 피하여 살아남으면 카라디온에 도움이 되리라고 보나?

그야 당연한 말씀입니다.

하지만 너도 알고 있을 것이다. 이것은 옳은 일은 아냐…

자신의 존재감을 억지로 납득시키는 문제는

나 자신이 살겠느냐, 살지 않겠느냐일 뿐…

에라스톤 왕…

이것 역시 카피온의 여왕과 다른 것이지.

카라디온의 왕이라는 것은 기계적인 계산에 의하여 선출된 왕인 것이다.

나 자신도 알고 있는 거다. 내가 현재 있는 왕이란 위치의 존재감을…

일의 상황은
들어 알고 있다.

어머님…

카피온에서는
아직 이 사실을
확실히
모르고 있지만
서서히 퍼져
나가겠지.

여왕폐하—

우리가 할 일이란
그저 기다리는 것
뿐이다…

우리의 마지막 여왕이
될지도 모르는
혼 시이라젠느.

그녀에게
어떤 희망을, 또는 불행을
계속 느끼며 살아왔다.
왜인지는 알 수 없는데도…

그녀는
그 질문의 해답을
주지 않고
떠나버릴 모양이다.

이 사실도
모르는 채…

인간적인 면에서는
차라리 그것이
행복할지도 모르지요…

지금 이 사실을 모르는
카피온인들처럼
그렇게 떠난다면…

아르만…

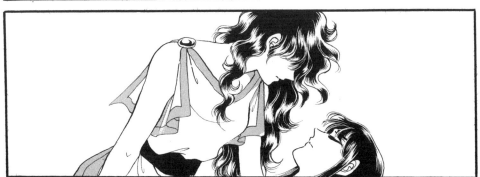

부탁입니다…

아파하지 말아주세요…

사랑하고 있습니다…
나의 시이라젠느…

발사 카운트다운
시작…

10.

9.

그래요,
시이라젠느…

이 자리는
당신이 있어야 할 자리야.

당신은 이곳에 있어야 해.

설사 멸망이라 해도
이 자리에는
당신이 있어야 해.

당신이―

신이여,
자비를―

자비를―

다시 한번
우리에게 기회를―

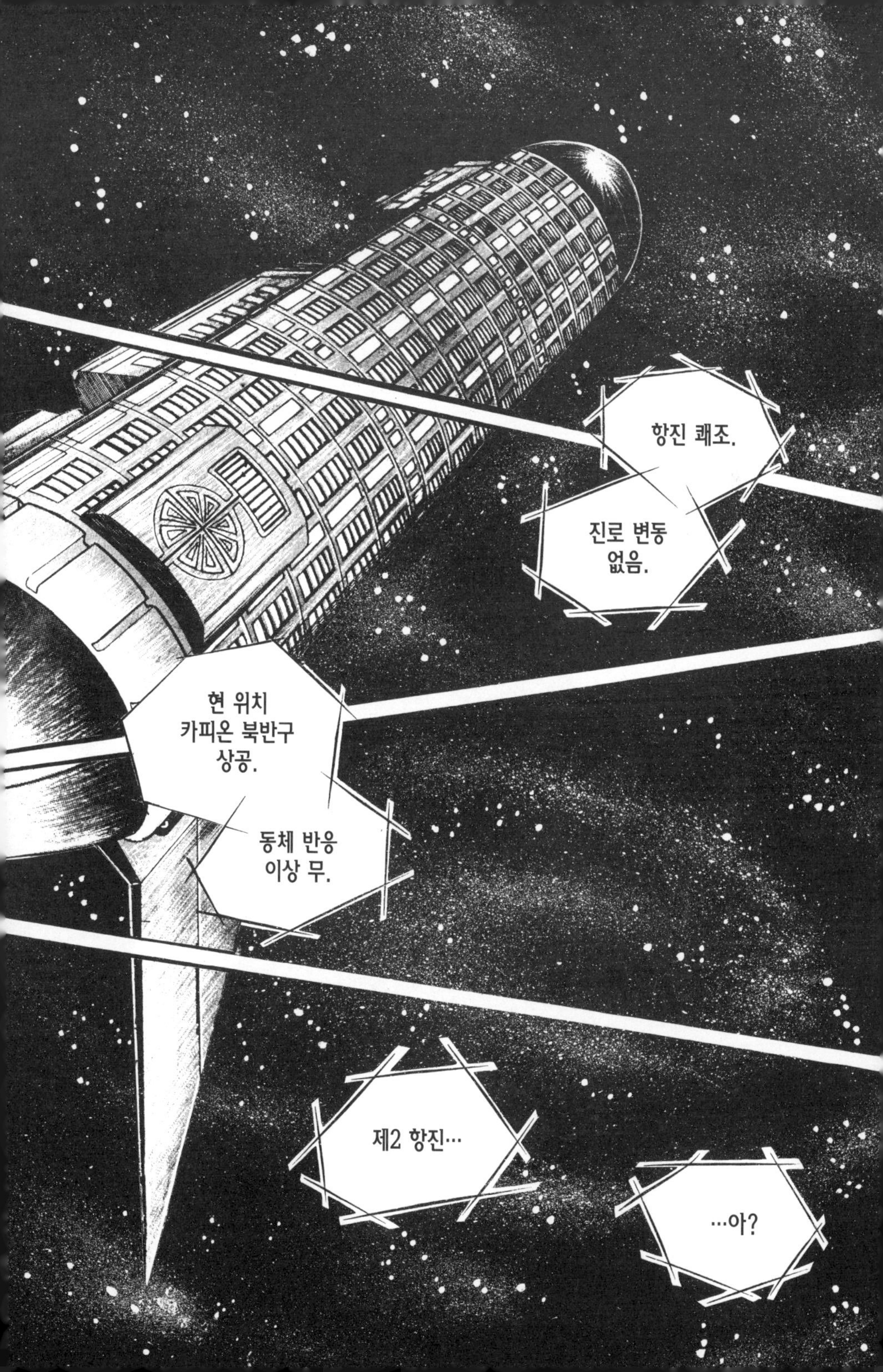
항진 쾌조.
진로 변동 없음.
현 위치 카피온 북반구 상공.
동체 반응 이상 무.
제2 항진…
…아?

…시이라…

…시이라젠느…

알고 있지요.
당신은 여왕이야.

그러니까…

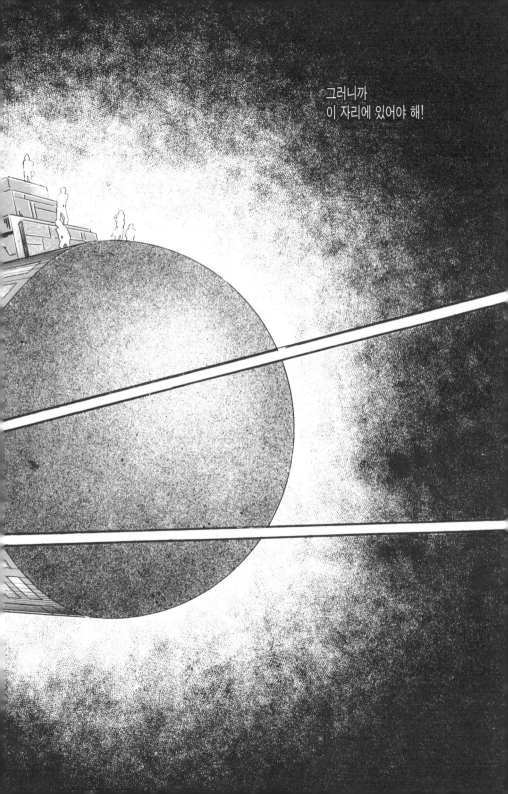

시이라젠느…

여기서…
이것이 폭발하면
카피온과 카라디온에
위험하다는 건가요?

그래요…

......

모두 이 위에서
물러나세요.

235

들으셨죠,
여러분?

그러나
아시알르,

시이라젠느
혼자서는
아무래도…

무리…

…잊으셨나요?
여왕은
시이라젠느예요.

이것은…
메시지입니다.

이것은
신의 메시지일 수도 있고,
혹은 나의 메시지일 수도
있습니다.

이제 나는 이것을
블랙홀로 옮길 예정입니다.

그것은 아마도
블랙홀의 에너지를
증폭시키는 데
어떤 기여를 할지도 모르지요.

지구이든…

지구…

내가 이것과 함께
블랙홀로 들어가면
다시 나올 수 있을지는
모르겠습니다.

만약 돌아오게 된다면
그것은 신의 뜻.

설사 돌아오지 않는다 해도
그것 역시 신의 뜻…

아르만…

아시알르…

시이라… 돌아와야 해요.
당신은 여왕이야.

그래요.
반드시… 반드시
살아 돌아오는 거요.

기다리고
있겠소.

…무리한 말을 하는군요.
두 분이 이것을 블랙홀까지
옮겨주시겠어요?

시이라…

245

여왕이 되면 알 수 있다는
해답의 열쇠.
그것은 신의 비밀을
한 가지 정도 공유할 수 있는
위치입니다.

어째서 그런 위치가
형성되는지는 몰라도
한정된 비밀을 공유함으로써
신과 인간의 중간 위치인
여왕이란 존재가 생긴 것이고,
그 의미를 부여한 것은 신입니다.

굳이 1왕녀를 위한 것도 아니었습니다.
그것은 인간이 만든 룰…
단지 신이 어째서인지
필요한 '여왕'을
지적했기 때문입니다.

어째서인지…

난 아직
이 '어째서'의 해답을
구할 수가 없어요…

아니면
'어째서'란 질문 자체가
필요 없는 것일지도
모르지요…

'여왕'이
인간인 이상…

인간 전체가
'여왕'이 될 가능성이
있는 것이라면···

여왕이란…
그런 것이었습니다.
아시알르…

이제
카피온의
98대 여왕.

시이라…

시이라젠느…

.....

당신들이 우주에서
버틸 수 있는 시간은
이제 한계이지
않나요…

레디온을
만나보았나요…

그것은…

예…

인간 최대의 약점,

또는

최대의 강점…

자신이… 말을 못할 것을
대비하여서인지
내게 전언을 부탁했소…

자신의 죽음을
제발 슬퍼하지
말아 달라고…

당신의 아픈 모습을
보고 싶지 않다고…

몇 년, 몇백 년,
몇천 년이 흘러도…

단지

그리고…

영원히… 사랑한다고…

단지 사랑하고 있었다는
사실 하나만은

절대로 잊지 않는 것…

지금 한 말 그대로…
내게 와서 말해주었어요…

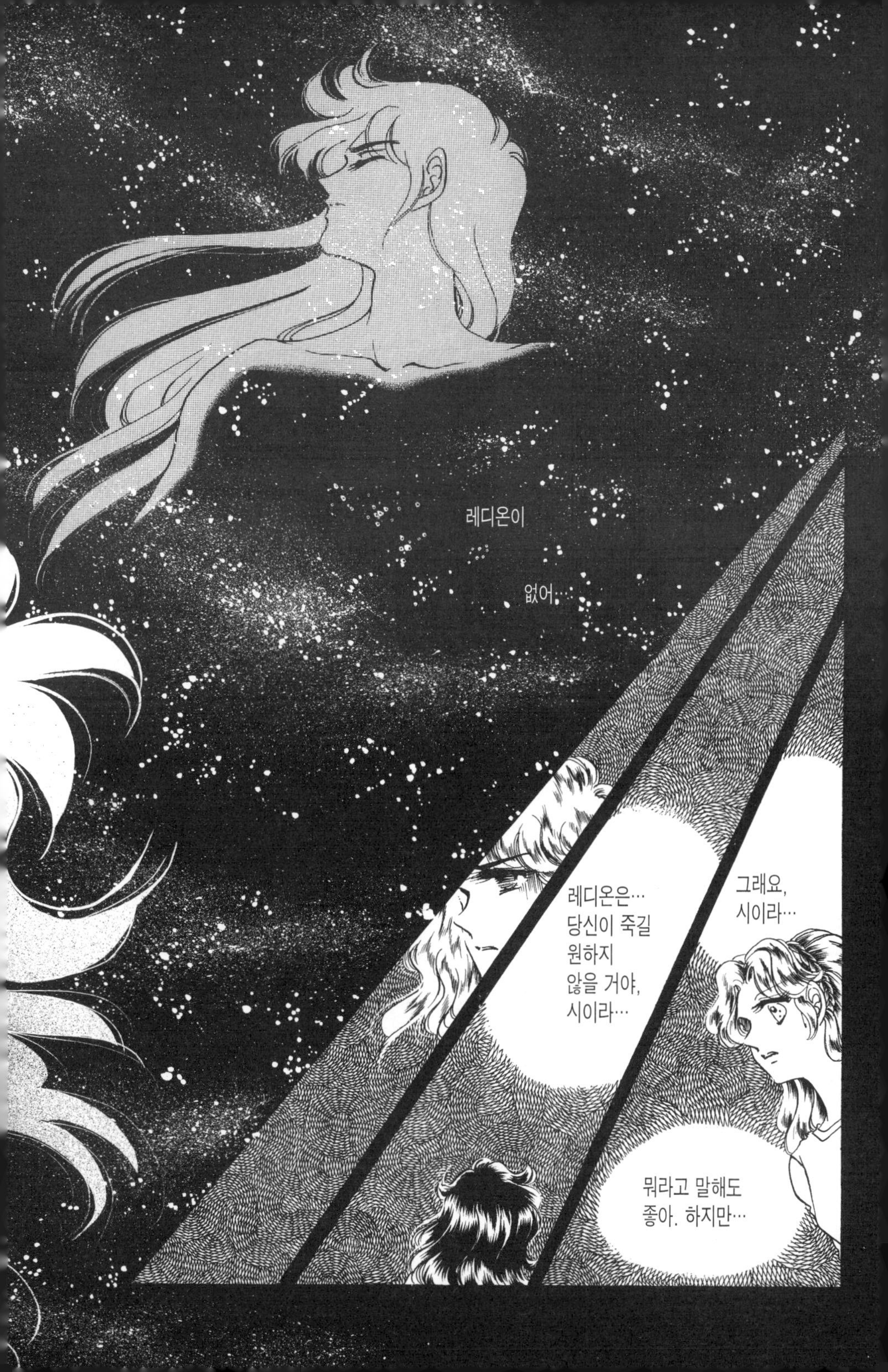
레디온이
없어…
레디온은…
당신이 죽길
원하지
않을 거야,
시이라…
그래요,
시이라…
뭐라고 말해도
좋아. 하지만…

하지만…
용서해줘요…
이것이…
여왕이 아닌
시이라젠느의
모습이야…

하지만…

자신에게…
솔직해지지 않고는
살 수 없어…

살… 수 없어…

…블랙홀에 들어가서
되돌아올 힘이
당신에게 있을까요…
시이라젠느?

…나도
알 수 없어요…

그런 것을
우리가 지금
왜 이러지요…

알 수 없는 미래를…

아르만…

미래는…
미래에
남겨둬야지요.

자… 떠나요.
시이라젠느…

단지… 우리가
당신이 돌아오는 것을
기다리고 있을 뿐이에요.

언제까지나…
신의 가호를…

언제까지나…

…텔레포트
했어요…

아아…

…당신이라면
시이라젠느를
말릴 수 있다고
생각했는데…

순식간에
사라지더군요.

…말리고 싶었지.

그러나
말릴 수도 없었고,
그래서도 안 되는
일이었소.

누가
그녀의 선택에
비난을 던지겠소.

그것이
그녀가 살아가는
방법인 것을…

재앙

아시알르 님, 잠깐
와주시겠습니까?

왜 그러지?

부르셨나?

저어…
여왕님께서…

아니요. 하지만
용태가 좋지 않으세요.
하염없이 눈물을 흘리시고
탈진하신 듯이…

…방해하지 말고
물러가 있도록 해라.

예?

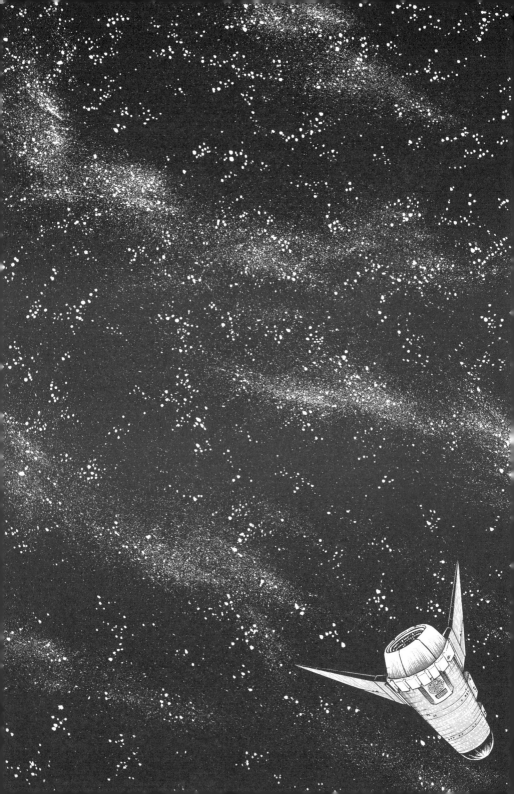

결국… 카피온의
그 통로를 그들에게
알려주지는 못했다.

그것은
성역에 들어가기 전에
마음먹은 것이지만
그러나 언젠가는
누군가에 의해
밝혀지겠지…

그들은 지구로 갈 수도 있고
아닐 수도 있을 것.

그리고 신이…

어느 쪽엔가—
약속한 그 낙원의 별이

설사— 지구였다 해도
그것은 우리 뒤의
사람만이 알 수 있는
일이다…

그들이
그들의 미래를
향해서 갈 뿐.

설사 그것이
정해진 것이었다 해도…

조용하다…

그래…
우주는
이런 거였지…

이제…
바로 블랙홀로
텔레포트 하지 않으면…

별 하나…
별 둘…

아아…
어째서 이런 때
그런 생각이 나는
것일까…

음… 그래…

아버지가 얘기해주던
북두칠성 이야기…

…옛날에 마음 착한
7형제가 살았다고 했지.

그들은 외로운 어머니를 위해서
돌다리를 놓아드렸다고
했었다.

그리고 어머니의 기원으로
죽어서 하늘에 빛나는
별이 되었지…

하늘의 별이 되었지…

레디온…
당신도…

그리고…

이제… 나도…

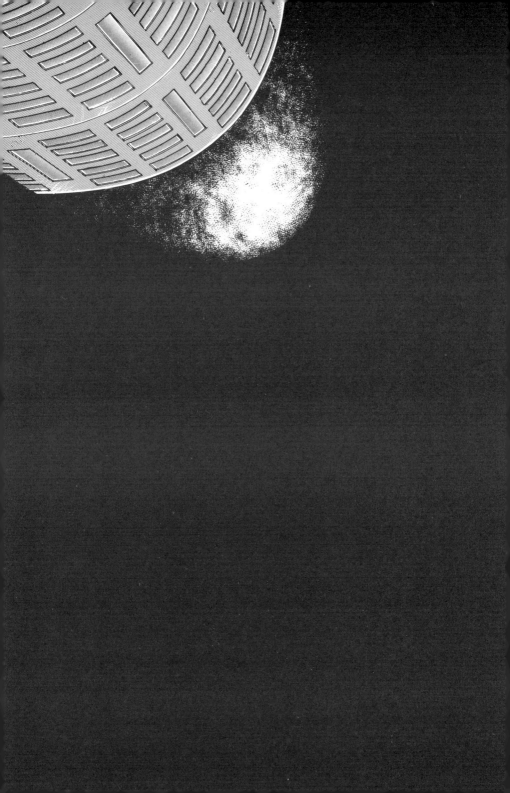

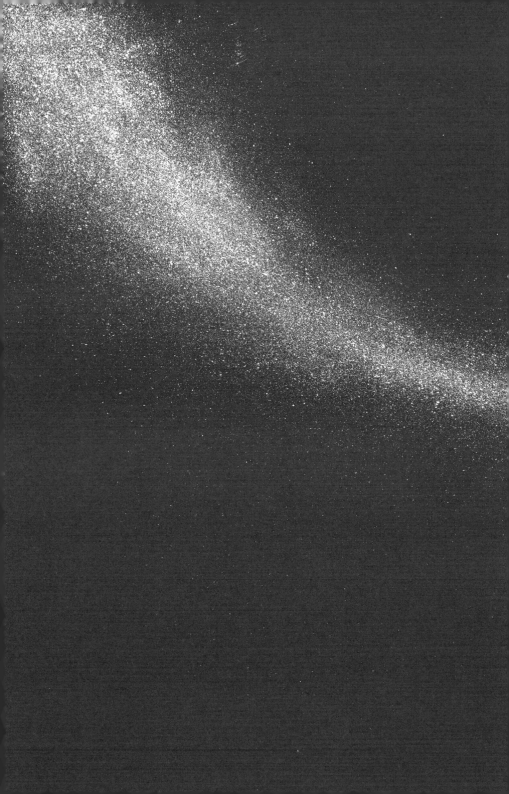

아버지…

나도 하늘의 별이
될 수 있을까요?

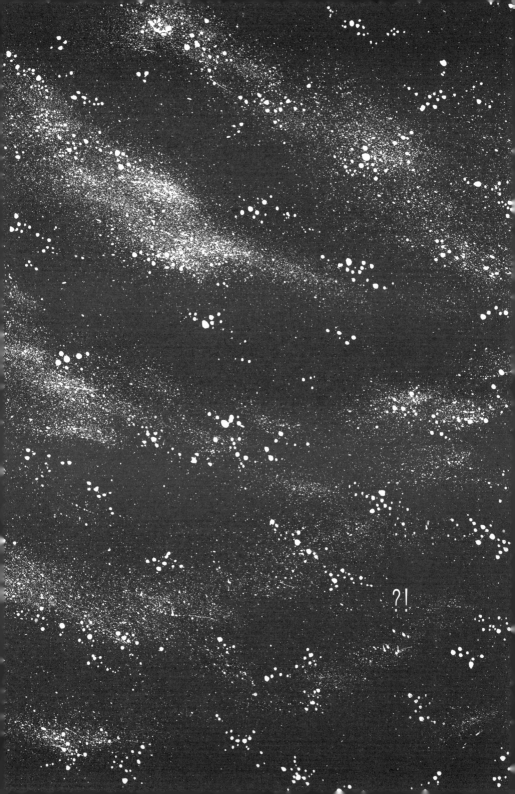

지구다… 그래, 틀림없어…

여기는?

이것은
신의 뜻?

또다른
나의 생을
시작하라는 것인가?

그 모든 일들을
보내고서?

결국…
신은 양쪽 별에
기회를 주신 거다.

알 것 같다.
내가 지구에서
자란 이유는
거기에 있었던
거야.

그래…
어쩌면 이것은
지구의 또 하나의
기회…

지구…
그것이 나에게
갖는 의미란 것은…

지금 지구는
몇 년도일까…
어느 세대일까.

만약 그렇다면
존재한다 해도
카피온과는
다른 세대겠지.

지금은
알 수가 없다.
……
이곳에서
내려가지
않으면…

그런데…

무언가
한 가지를 잊어버린
기분이다…………

그것은

인간 최대의 약점
인간 최대의 강점

어떤…
사람이었을까?

…………
기억이 나진 않지만

몇 년, 몇 백 년,
몇 천 년이 흘러도

단지…

…무언가… 아주…
소중한 것을
잃어버린 기분이다.

사랑하고 있었다는
사실 하나만은

무엇인지…

절대로 잊지 않는 것…

무엇인지…

그래서…

그 이름 하나가
………

슬픔인지 기쁨인지
모를 기억 하나가
단 하나의 증거로 남아…

언제까지고 언제까지고
마음속에서
되풀이된다…

…?…

그래서…
이제 세상을

다시 한번
신의 뜻으로

혹은…

나의 뜻으로…

아아…

아름다운 별들이다…

《완결》

표지에 쓰이진 않았지
새로 채색해 본
초판 1권 표지.

Episode 8. **리마스터 버전(Remaster version)**

해탈은
저 멀리 어딘가
망각의 강
너머에….

〈별빛 속에〉 원고를 잃어버린 경험은
이미 충분히 이야기했지만,
항상 자책의 기분을 불러일으키는
사건이기는 했어요.

me

15년 전 애니북스 판형을 손보면서도
이 정도에 만족해야 하나보다 하며
나름 위안을 했는데

세월이 흘러
더 좋은 프로그램들이 나오며
더 많은 보정을 하면서
겨우 원본에 가깝게 나오게끔
만든 것 같아 마음이 좀 편해졌습니다.

실은 어떤 건
원본보다 더
좋아지기도 했죠.

이 그림이

이런 식으로

의성어도 더 보기 좋게 손보고
효과선도 손보면서
어떤 의미에서는 원본의 본질이
좀 흐려진 건가 하는 생각도
들기는 했지만

그래도 읽기 편하고
보기 좋은 게 낫다고
생각하기로 했습니다.

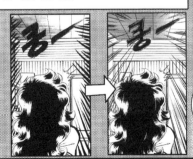

어쩌면
보는 사람은
큰 차이를 못 느낄지도
모르지만.

그래서 리마스터 버전이라고
하는 거죠.

6개월 이상을
이 작업에 매달림으로써,
원고 분실 실수에 대한
부담감을 겨우 덜어낸
기분이 들어
나름 좀 편해졌거든요.

끝이
안 나…

하나의 숙제를
끝냈다고
할 수도 있을 거
같은 기분.

물론 고쳤다 해도
1987년 작품이고,
2023년인 지금 시점으로
37년 전의 작품이란 건
변하지 않습니다.

하지만
37년 전의 이 작품을 아직도
출간할 수 있다는 사실에
그저 독자분들에게
감사드릴 뿐입니다.

나의 어린 시절

많은 환상에 빠져들게 하던
저 별들과

지난 시간 동안
〈별빛 속에〉를
기억해 주시는

모든 분들에게
깊은 감사를 드리며.

2023. 11. Fin.

별빛속에 8

초판인쇄 2024년 4월 15일
초판발행 2024년 4월 25일

글·그림 강경옥
발행인 정동훈
편집인 여영아
편집책임 이승희·박윤경
제작 김종훈·박재림
디자인 한미애·박가영·지민지·이선유
발행처 (주)학산문화사

서울시 동작구 상도로 282 학산빌딩
영업부 828-8984 · 편집부 828-8862 · FAX 816-6471
1995년 7월 1일 등록 제3-632호
http://www.haksanpub.co.kr

ISBN 979-11-411-1122-9 07650
ISBN 979-11-411-1114-4 (세트)

값 12,000원